De geheimzinnige ober

Eerder verschenen in deze reeks:

www.leopold.nl
www.plazapatatta.nl

Nanda Roep

De geheimzinnige ober

met tekeningen van Georgien Overwater

LEOPOLD / AMSTERDAM

PSSST! *Hou jij van koken?*
Kijk dan achter in dit boek en maak je favoriete recept.
Kijk ook op <u>www.plazapatatta.nl</u> *én op* <u>www.nandaroep.nl</u>

AVI 8

Omslagtekening en illustraties Georgien Overwater
Omslagontwerp Rob Galema
NUR 282 / ISBN 978 90 258 5180 4

Plaza Patatta – *Menu*

Wie is wie?

Deze sportieve meid is het oudste kind in huis. Dat zij de oudste is, betekent natuurlijk dat ze het sterkst is en het meeste durft! (Ook al is ze – ahum – de enige die dat vindt…) Ze doet graag kunstjes, het liefst voor publiek. Ze heet Luna.

Dit knappe koppie is het tweede en ook laatste kind van haar ouders. Misschien is ze dan niet de sterkste, maar zeker wel de lenigste van de twee. Háár bruggetjes en radslagen zien er veel mooier uit! (Maar dat vindt ze dus vooral zelf.) Haar grote zus moet niet denken dat ze de ster is van de show, want voor haar klappen de mensen echt het hardst. Ze heet Lotte.

Deze rondborstige dame is mevrouw Veldstra: 'Mama Marianne'. Het hele gezin is trots op haar, want Marianne is operazangeres. Ze treedt overal op, van IJsland tot Japan, want ze is een echte *ster* – en nu is ze bijvoorbeeld een paar dagen naar Italië. Toch is ze niet verwaand, want als ze op een klein podium zou moeten zingen, of desnoods in een tent, dan doet ze dat net zo lief.

En dit is de lieveling van hen allemaal: papa Veldstra. Hij is de enige man in huis, en heeft altijd nieuwe plannen die hij wil uitvoeren. Papa is degene die het kinderrestaurant Plaza Patatta is begonnen. (Dat betekent: 'de plaats waar patat is'.) Er is maar één probleem, en dat is dat hij helemaal niet kan koken. Hij zoekt altijd naar manieren om nóg meer mensen naar het restaurant te lokken – en het is al zo druk!

Met z'n vieren woont dit gezin boven het restaurant, in Biesland. Luna en Lotte willen op deze zonnige dag in het hoge gras gaan spelen met hun poes Hector. Maar papa roept dat ze binnen moeten komen, want hij wil hen aan iemand voorstellen...

1 Iemand uit de berm

'Lieve schattekontjes,' zegt papa – en Luna en Lotte kijken geschrokken naar de jongen die naast hem staat. Wat is hij gróót! Wel zestien of nee: zeventien. Dan kan je toch geen *schattekontjes* meer tegen hen zeggen? Wat moet hij wel denken, dat ze kleuters zijn of zo?

Camil

lang!

Maar papa heeft niks in de gaten. Hij wijst naar de jongen en zegt: 'Kijk eens wat ik heb gevonden.'

'Gevónden?' vraagt Luna met een brede lach, en Lotte proest het uit: 'Ik wist niet dat je ook mensen kon vinden!'

Ze grijpt Luna bij de arm en roept: 'Gevonden!'

Meteen pakt Luna haar kleine zusje bij haar middel en roept: 'Eén schattekontje!'

Lotte wurmt zich los. 'En jij bent een schatte-dikbil, haha.'

Luna antwoordt: 'Dan heb jij een kippekont.'

'Meiden, meiden!' Papa glimlacht, maar Luna en Lotte begrijpen wel dat ze stil moe-

9

ten zijn. Hij legt een arm om de jongen heen en zegt: 'Camil komt bij ons werken.'

Huh?

De jongen glimlacht naar hen. Hij mist een tand.

Camil heeft lange, zwarte haren, die in een slordige staart zijn gebonden. De helft van de haren zit niet eens meer in het elastiek, maar ligt in klitterige slierten op zijn schouders. Bah.

Luna vraagt voorzichtig: 'Wat zou hij nou moeten doen?'

Zijn handen heeft hij in elkaar gevouwen, maar zijn beleefde houding kan heus niet verbergen dat hij pikzwarte randen onder zijn nagels heeft. Vieze handen van het wroeten in de modder – waarom zou iemand zo nodig in de aarde moeten wroeten? Je kan toch zo zien dat deze viezerik niet in een restaurant hoort?!

Papa knikt: 'Camil komt ons helpen in de bediening.' Hij knijpt extra stevig in Camils schouder en zegt trots: 'Dit is de eerste echte ober van Plaza Patatta.'

Camil glimlacht naar papa Hans.

'Met zulke vieze handen?' Luna fronst haar wenkbrauwen – wat heeft papa nu weer in zijn hoofd gehaald?

Camil doet een stapje naar voren. 'Die ga ik meteen wassen, het zit zo; ik was net even bij mijn euh... *nergens* bedoel ik–'

Papa praat over hem heen: 'Die kan hij natuurlijk wassen.'

Luna zwijgt. Ze is het er niet mee eens.

'Is hij echt een ober?' vraagt Lotte.

Papa knikt verrukt. 'Hij heeft me gezegd dat hij het

ontzettend goed kan.' Papa begint te wandelen en omdat hij zijn arm om de schouder van Camil heeft, moet die dus wel meelopen. 'Wat een geluk hè? Dat ik zo hard een ober nodig heb, en dan hém vind!'

'Ja,' lacht Camil mee. 'Ik kan het, zeker weten. Als ik op mijn euh – *niks*, ahum, ik zal zeker een goede ober zijn!'

Verbluft kijken de meiden hun vader na. Wat een rare vogel is die gozer!

Papa laat Camil de eetzaal zien, met de elektrische treinen langs de muren, die in hun wagons de bakjes friet rondrijden. Hij wijst naar de kabelbaan, die door de lucht het eten naar de achterste tafeltjes brengt.

Camil kijkt zijn ogen uit.

Luna stapt met hen mee en vraagt: 'Maar waar heb je hem dan gevonden?'

'In de berm.' Papa zegt het alsof het de normaalste zaak van de wereld is. 'Hij zat te huilen in de berm. Ik zag hem toen ik naar huis reed.'

'In de berm?' Lotte denkt dat ze het vast niet goed heeft verstaan.

Papa knikt. 'Te huilen, de arme jongen.'

'Waarom zat hij te huilen?' Luna kijkt haar vader na, die nu de viezerd naar de keuken leidt. Weet papa wel zeker dat het echt *huilen* was, of alleen maar *zielig* doen?

Papa haalt zijn schouders op. 'Hij was verdrietig.'

'Waarover dan?'

'Weet ik niet.' Papa glimlacht naar Camil. 'En dat hóéf ik niet te weten, want vanaf nu krijg jij een nieuwe kans in het leven.' Hij loopt bij zijn dochters weg, verder het restaurant in.

De meiden blijven verbaasd achter. Lotte ploft op een stoel. 'Mag hij dat zomaar doen?'

'Jij vindt het zeker weer eng.'

'Nou ja!' Lotte kijkt haar zus ernstig aan. 'Hij weet níéts van hem!' (Lotte durft het niet hardop te zeggen, maar ze is niet vergeten dat er volgens Luna een gevaar-lijk Bosbeest leeft.* Dus ja, ze vraagt zich wel af hoe Camil in die berm terechtkwam...)

Luna knikt. 'Zou hij echt een ober zijn?'

'Ik geloof er niks van.' Lotte schudt zo hard met haar hoofd, dat haar staart langs haar gezicht zwiept.

'Misschien is hij wel een gezochte crimineel.'

'Heb jij de laatste tijd toevallig nog politieberichten gezien?'

* zie: *Help, wie klopt daar?!*

Luna kijkt haar zusje nu gemeen aan. 'Bange pudding.'

'Alsof jij niet wilt weten wat er met hem aan de hand is. Ik bedoel: hoezo zit iemand in de berm te huilen?'

'Hmm… met zulke vieze handen.'

'Precies! Het is wel duidelijk dat hij iets heeft begraven in het bos…'

'Waarschijnlijk geen goud, want als hij dat had, hoefde hij niet te werken.'

'Straks is het een *lijk*.'

Luna staat op. 'Oké, ik zal hem in de gaten houden.'

'Mooi, ik ook,' knikt Lotte. Dan kijkt ze haar zus plagerig aan en zegt: 'Oude suikertaart.'

'Drillende appelmoes.'

'Taaie boterham.'

'Eierkopje.'

2 Kunt u het circus helpen?

Papa is nog bezig om alles aan Camil te laten zien, als ze een stem horen die zangerig roept: 'Joehoe!' (Vergeleken bij mama's prachtige stem, klinkt het trouwens toch als het krassen van een oude kraai...) Een mevrouw stapt al naar binnen. 'Stoor ik?'

Luna en Lotte staan op voor mevrouw Toddel; ze kennen haar uit het dorp. Deze mevrouw heeft zo'n strakke permanent, dat de krullen als muntendrop aan haar hoofd zitten.

Mevrouw Toddel weet altijd alles, en het zou Luna niets verbazen als ze zelfs al wist dat papa Camil heeft euh... *gevonden*. Maar daar zegt ze niets over, ook al bekijkt ze de jongen van top tot teen. Dan gaat ze zitten.

'Hebben jullie het al gehoord?' vraagt ze.

De meisjes en papa Veldstra kijken haar vragend aan. Nee, ze hebben niks gehoord, maar dat gaat nu vast gauw gebeuren.

Mevrouw Toddel schudt haar hoofd voordat ze zegt: 'Het circus kan dit jaar niet doorgaan.'

O nee? Wat jammer!

Mevrouw Toddel zucht: 'Ze hebben geen geld meer.'

Geschrokken vraagt papa: 'Zijn ze failliet?!'

Ai, bij papa Hans wordt een gevoelige snaar geraakt. Vroeger had hij namelijk zelf een bedrijf dat failliet is gegaan. Dat spreek je zo uit: *feijiet*. Als je failliet gaat, heb je geen geld meer. Dan kun je niet meer werken en zelfs geen brood meer kopen. (Het was een geluk dat mama zo beroemd is, want zij verdient genoeg geld voor iedereen.)

Camil buigt zijn hoofd.

'Ze zijn nog net niet failliet,' zegt mevrouw Toddel. 'Maar het scheelt niet veel. Ik heb de directeur van het circus gesproken. Hij zegt dat ze bijna geen eten hebben voor de dieren. En nu kunnen ze niet eens een plekje in het stadspark betalen om hun tent op te zetten. Waar moeten ze dan optreden?'

Luna zit met grote ogen te luisteren. Ze wist niet dat je zelf moet betalen om ergens te mogen optreden.

Maar Lotte luistert niet echt. Ze baalt wel als het circus niet kan doorgaan, maar ze baalt nog méér van die Camil in Plaza Patatta. Met zijn lange, ongewassen haren, en zijn vieze handen...

Uit haar ooghoeken houdt ze hem in de gaten. Eerst leek hij rustig te wachten tot mevrouw Toddel klaar was met haar verhaal, maar toen begon hij aan zijn vingers te friemelen. Hij probeerde vuil onder zijn nagels vandaan te halen of zo, en daarna wreef hij zijn handen langs zijn broek.

Na een tijdje begon hij door de eetzaal te lopen – nee, eigenlijk was het sluipen.

Want hij *doet* alsof hij zich niet met het gesprek wil bemoeien, maar in werkelijkheid is hij de ruimte aan het *checken*. Om iets te kunnen stelen, bijvoorbeeld.

Zachtjes is hij.

Stiekem is hij.

Gevaarlijk is hij.

En Lotte is de enige die het ziet…

Ze zegt er niks van omdat mevrouw Toddel zo veel kletst.

Heel Biesland zou het meteen weten als Lotte iets slechts over Camil zegt. Overal zou mevrouw Toddel vertellen dat in Plaza Patatta een gevaarlijke ober werkt, en niemand zou nog komen eten. Bovendien mag *Lotte* dan misschien wel denken dat Camil slecht nieuws is, maar het duurt vast nog lang voordat *papa* er óók van overtuigd is.

Papa kijkt mevrouw Toddel bezorgd aan en zegt: 'Hoe moet dat nou als het circus geen plek heeft om op te treden?' Hij staat op en roept: 'Hoe moet het met een land, als er geen circus kan bestaan!'

Mevrouw Toddel krijgt een fonkeling in haar ogen. 'Wij van de buurtvereniging dachten dat u misschien…'

Papa zet zijn beide handen op tafel en leunt voorover.

'Ja?'

'... uw grasveld naast Plaza Patatta beschikbaar wilde stellen voor het circus?'

Papa slaat zijn hand op tafel. 'Afgesproken!'

'Dus u doet het?'

'Natuurlijk.'

Luna balt haar vuisten en doet zachtjes van 'yes', en ook Lotte is enthousiast. Wauw, het circus! Bij hen thuis!

Papa zegt: 'Hun woonwagens kunnen tussen de bomen in het bos staan, ik zal ze elke ochtend een stevig ontbijt brengen. Of nee, dat zal onze nieuwe ober doen.' Hij spreidt zijn armen en wijst naar Camil. (Als mevrouw Toddel hem aardig vindt, komt de rest van Biesland ook gauw genoeg een kijkje nemen, haha!)

Maar dan gebeurt er iets vreemds.

Camil maakt een sprongetje van schrik nu hij onverwacht zijn naam hoort. En op de grond rolt een... appel.

O – Lotte laat haar mond openvallen! Zie je wel, dat ongewassen stinkdier staat hun fruit te jatten! Precies op het moment dat Lotte hem even niet in de gaten hield, omdat papa zei dat het circus bij hen mag komen. Anders had ze hem op heterdaad kunnen betrappen! Is er niemand anders die hem de appel zag stelen?

Lotte kijkt haar vader aan, maar nee, die heeft natuurlijk niets gezien – het zou hem niet eens opvallen als Camil die appel stal waar hij náást stond!

Luna heeft wel een strenge blik op haar gezicht, zij zal toch hopelijk begrijpen dat dit niet in de haak is?

Mevrouw Toddel heeft ook niets gezien, maar dat is misschien ook maar beter. Zij zit hooguit te wachten tot

Camil haar eindelijk beleefd de hand komt schudden.

'Sorry, sorry,' zegt Camil haastig. Hij graait de appel van de grond en legt hem gauw (en dus eigenlijk veel te ruw) in de fruitmand.

Hij komt naar voren, naar de tafel waar het groepje zit te praten. Maar hij geeft mevrouw Toddel geen hand. In plaats daarvan zegt hij: 'Het spijt me als ik brutaal ben, meneer Veldstra, maar ik heb liever niet dat het circus komt.'

'Waarom niet?' vraagt papa.

'Omdat ze dan euh... ik heb geen echte reden!'

Luna en Lotte draaien met hun ogen.

Mevrouw Toddel zegt vinnig: 'Heb jij daar iets over te zeggen, jongeman?'

Maar papa zegt: 'Iedereen mag zijn mening geven, mevrouw Toddel. Zo gaat dat in Plaza Patatta.'

Jaja, denkt Luna geïrriteerd; behalve als er halve zwervers komen werken, dan vraagt niemand onze mening!

Opnieuw vraagt papa aan Camil: 'Waarom niet?'

Dan geeft Camil een heel raar antwoord. Hij zegt: 'Als het circus geen geld meer heeft, wie zegt dan dat ze hier niet komen stelen?'

Lotte knippert met haar ogen, ze kan het niet geloven. Terwijl hij net *zelf* stond te stelen! Hoe durft hij!

Voordat ze erover heeft nagedacht, hoort ze zichzelf zeggen: 'We kunnen ze vragen om eerst te gaan huilen in de berm, om te bewijzen dat ze onschuldig zijn...'

Mevrouw Toddel snapt er niks van, maar papa laat zijn dochter niet verder praten.

'Nou, nou, schattekontje, dat is niet nodig.' Hij legt

zijn arm om Camil heen en zegt: 'Als we jou kunnen opvangen, kunnen we ook een heel circus een plekje bieden.'

'Maar ik heb liever–'

'Zeg maar niets meer, ik heb mijn keuze gemaakt.' En daarmee is het gesprek afgelopen.

Met een mierzoete stem vraagt papa of mevrouw Toddel misschien een slokje van zijn bananen-milkshake wil proberen. 'Als u het lekker vindt, zet ik het voor de zomer op de kaart.' (Ohoo, wat een slijmbal is hun vader eigenlijk!)

Mevrouw Toddel én Camil lopen mee naar de keuken. Luna en Lotte horen Camil nog zeggen: 'Als u het niet erg vindt, zou ik de milkshake ook graag proeven.'

Opnieuw kijken de zusjes elkaar geschokt aan. Zie je wel hoe brutaal hij is!

3 Dat kan geen echte ober zijn

Camil heeft zich in hun badkamer helemaal schoongewassen. Kon hij dat niet in zijn eigen huis doen? Nou, dat hebben ze hem heus wel gezegd hoor, maar daar kwam alweer zo'n vaag antwoord op. Eerst zei hij dat het erg ver weg was, en toen Luna en Lotte vroegen waar het dan was, wees hij zomaar in de verte...

Er klopte duidelijk niks van, maar papa zei dat het niet uitmaakte omdat hij de kleren had die Camil aan moest trekken.

'Ben je zenuwachtig?' vraagt Luna nu.

Veel te hard antwoordt hij: 'Helemaal niet zenuwachtig. Dit kan ik wel, hoor!'

Luna kijkt hem geïrriteerd aan: waarom schreeuwt hij zo? Het wordt zelfs nog erger: Camil leunt achterover en roept in de richting van de keuken: 'Ik ben een goede ober. Ik kan het hééél goed!'

Lotte knijpt haar ogen samen en zegt: 'O ja? Zeg jij dan maar eens wat we nu gaan doen, als je zo goed bent.'

Camil haalt zijn schouders op. 'Wachten op de gasten.' Hij kijkt haar uitdagend aan.

'Fout,' zegt Luna.

Lotte valt haar bij: 'Ja, het is fout. We moeten de tafels schoonmaken, en alles klaarzetten.'

'Nee, nee.' Luna steekt haar vinger in de lucht. 'Dat moeten *wij* niet doen, dat doet *hij*.'

Ze leunt tegen de muur. Oef, ze doet kattig

en dat weet ze wel. Ze is ook zo boos dat hij zomaar zegt dat hij wel de ober kan zijn van *hun* restaurant. En dat papa het nog gelooft ook!

Camil lijkt te schrikken en veert op. 'Wist ik wel, wist ik wel!' Hij loopt – nee, rent – nee, hij *springt* door de eetzaal. 'Waar zijn de vaatdoeken? Waar zijn de borden?'

Gauw, gauw gaat hij, hup, hup, van links naar rechts. Hij lijkt wel een haas! Hij neemt een snoekduik de gang in en stapt in één grote stap naar de keuken. Daar is papa bezig met iets nieuws.

'Ah, Camil, jongen, wil jij mij eens zeggen wat je hier van vindt?' Vanuit de eetzaal horen Luna en Lotte de koelkast open en dicht gaan. Papa zegt: 'Het is Italiaanse tiramisu. Een heerlijk toetje, speciaal voor mijn vrouw, voor als ze straks thuis komt van haar optredens. Ik wil er zoveel van maken dat er genoeg is voor het hele circus.'

Luna en Lotte twijfelen wat ze zullen doen. Meestal kun je je beter uit de voeten maken als papa iets nieuws heeft geprobeerd. Want het loopt niet altijd goed af met zijn recepten.

Soms kleven je kaken ervan aan elkaar...

Soms is het zo zuur, dat je ogen ervan uitpuilen...

(Maar het is altijd een *verrassing*, haha!)

'Het is vies,' zegt Camil nog vóór de meisjes bij de keuken zijn.

'Maar je hebt nauwelijks iets geproefd!'

'Bah.' Camil maakt een spuug-geluid. Luna en Lotte kijken elkaar geschokt aan. Wat onaardig van Camil, wat onbeleefd en grof!

'Het circus moet hier niet komen,' gaat hij verder. Zijn stem klinkt ineens drie tonen lager dan normaal. Daardoor klinkt hij dreigend. 'Het is beter als het circus niet komt.'

Dit is geen advies meer, dit klinkt als een bevel!

'O ja?' vraagt papa. 'Denk je dat het beter is om het circus niet te vragen?'

Luna's mond valt open. Straks laat papa zich nog door die stomme Camil overhalen om het circus niet te helpen! Voor ze heeft bedacht wat ze eigenlijk wil doen, is ze de keuken al binnen gestormd.

'Het circus moet komen, papa, ik ben dól op het circus!'

Camils mond wordt een platte boze streep. 'Het circus moet niet komen,' sist hij.

'Jawel, ik hou van circus!' Om haar woorden kracht bij te zetten, begint Luna te springen als een ballerina – Lotte moet erom lachen. 'Ik wou dat ík bij het circus zat!'

Daar raakt Luna een gevoelige snaar bij papa. Hij houdt heel erg van stukjes doen en opvoeren. En meer dan van wat ook (zelfs méér dan van gamen) houdt papa van verrassingen bedenken.

Hij zegt: 'O, wat zal mama het leuk vinden om jou in een circus-act te zien als ze thuiskomt van toernee. Als wij het circus hier laten optreden, mag je vast wel eventjes meedoen. Het gaat door. Voor mama. Voor Bolleke.' Dromerig blijft hij staan, met het beeld van Luna in het circus op zijn netvlies. In gedachten ziet hij hoe mama dankbaar zijn hand vastpakt, van pure verrukking om de leuke verrassing.

'Maar–' Camils ogen spuwen bijna vuur.

'Niks te maren,' zegt papa vriendelijk. 'Straks komen de eerste gasten. Laten we maar gauw de tafels gaan dekken.'

Als papa Camil meeneemt om te laten zien waar de borden staan, pakt Lotte een stukje van de tiramisu die Camil zo vies vond.

'Vreemd,' zegt ze.

'Wat is vreemd?'

'De tiramisu is eigenlijk heel lekker.'

'Dat is zéker vreemd.'

Lotte lacht met een zucht. 'Dat bedoel ik natuurlijk niet, gehaktbal.'

Luna draait met haar ogen. 'Wat bedoel je dan wel, boterbal?'

'Dat Camil zei dat het vies was natuurlijk! *Bitter*bal!'

Luna wrijft over haar kin. 'Dat is zeker vreemd...'

Die avond staan Luna en Lotte friet te scheppen op de treintjes, maar zoveel mogelijk kijken ze naar Camil. Het is wel duidelijk dat hij nooit eerder ober is geweest. De hele tijd lijkt het erop dat hij door de mand zal vallen, en dat papa moet besluiten een andere ober in te huren. Hij heeft alleen steeds zoveel geluk...

Hij vergeet bijvoorbeeld naar welke tafel het eten moet

– maar de mensen uit Biesland zijn zo aardig om hun vinger op te steken als hij met hun bestelling aankomt...

Hij vergeet steeds drinken bij te schenken – maar de gasten vragen er gewoon om, en nemen het hem verder niet kwalijk...

Eén keer liet hij een dienblad vol discoballen (dat zijn soesjes met chocoladesaus – mmm!) bijna omvallen. Het volle blad tuimelde al helemaal over zijn hand, normaal gesproken zou al het eten zeker op de grond zijn gevallen. Maar nu gebeurde er iets geks... Razendsnel – echt sneller dan je schaduw – deed Camil een bóvenhandse greep met links naar het dienblad, en ondersteunde hij rechts het blad met zijn knie. Het is dat Luna en Lotte zo op hem stonden te letten, anders hadden ze het niet eens gezien! Nadat hij de toetjes had geserveerd, liep hij geschrokken terug naar de keuken, en veegde zweetdruppels van zijn hoofd.

'Dat was een knappe actie,' zei Luna.

Camil knikte. 'Dank je.'

'Als jij dat soort dingen kan, zou je denken dat je juist blij bent dat het circus komt.'

Meteen kwam er weer een donderwolk boven zijn gezicht. Zijn stem klonk dreigend: 'Ik ben daar dus niet blij mee.' Hij stapte langs hen om een nieuwe stapel borden met eten te halen, en Lotte riep: 'Wat kan er dan zo erg aan zijn?! Mag het niet van je geloof of zo?!'

Plotseling stond Camil stil. Zijn rug verstijfde. Zijn lange haren lagen roerloos op zijn rug. Hij haalde traag en diep adem. En na een lange pauze ging hij verder: 'Ik zal er alles aan doen om de komst van het circus tegen te houden.'

Huh?!

De meiden stapelen beduusd nieuwe patatta's op de treintjes. Wat bedoelde hij daarmee; dat hij er álles aan zal doen – wat is dat dan, *alles*?

Doet hij wat een *normaal* mens zou doen: nog eens zeggen dat hij het liever niet wil en proberen papa Hans ervan te overtuigen zijn aanbod alsnog in te trekken?

Doet hij wat een *vervelend* mens zou doen: actie voeren

tegen de komst van het circus, en op straat iedereen er-over aanspreken?

Doet hij wat een *lastig* mens zou doen: de voorstelling verzieken door erdoorheen te gaan lallen, en microfoons of geluidsboxen stuk te maken?

OF... doet hij wat een *gevaarlijke gek* zou doen: hij pleegt een bomaanslag en begint de artiesten te ver-moorden! Met een mes. Een koksmes.

Van papa Hans. Die dan de schuld ervan krijgt. En naar de gevange-nis moet. En nooit meer zijn kin-deren mag zien.

Geschrokken begint Lotte te ratelen: 'Waarom weten we niks van hem – wie weet wat hij alle-maal voor enge dingen doet als het circus tóch komt!'

'Het zal wel meevallen, puddinkje.'

'Dat. Weet. Je. Niet.'

Luna haalt haar schouders op. 'We houden hem in de gaten. Meer kunnen we niet doen.'

'Hellepie,' snuft Lotte, en ze legt nieuwe friet in de oven.

4 Ik zal er alles tegen doen...

Luna zit op haar handen en knieën in het gras. 'Schiet nou op!' roept ze tegen haar zusje, maar Lotte staat alleen maar te giechelen langs de kant.

'Je moet een *paard* nadoen,' grinnikt ze, 'geen *varken*!'

'Ha ha ha,' zegt Luna. 'Wat ben je toch lollig.'

Lotte knikt. 'Ik ben wel lollig ja, maar hoe jij erbij staat, daar is geen pret aan te beleven hoor!'

'Schiet nou maar op,' zegt Luna, 'anders stop ik ermee en hebben we helemaal geen stuk voor in het circus.'

'Oké, oké.' Lotte neemt een aanloop. 'Ik kom al.' Ze doet een pas en nog één, en steeds sneller rent ze op haar zus af. Ze roept: 'Allez hop!' en springt op Luna's rug.

'Oempf!' doet Luna en valt plat op haar buik.

Lotte springt er snel af. 'Je moet wel blijven staan!' Ze kijkt haar zusje plagerig aan en zegt: 'Als ík de oudste was, zou ik tenminste ook de stérkste zijn.'

'Ben ik ook, jij slappe haring,' kreunt Luna.

'Moet jíj zeggen.' Lotte geeft een pesterig schopje tegen Luna's billen. 'Je ligt erbij alsof je spieren van kauwgom zijn.'

'Ja, omdat jij een tientonner bent!'

'Echt niet!'

'Echt wel!'

Dan klinkt een stem: 'Wat zijn jullie aan het doen?'

Het is Adem, hun Turkse beste vriend die al dertien is. Snel krabbelt Luna overeind, en klopt haar kleren af. 'O, niks.'

Maar Lotte zegt: 'Het circus komt – bij óns!'

'O ja, een circus? Met een echt slangennummer, net als in Turkije?'

'Slangen?' Luna schudt griezelend haar hoofd. 'Maar wel leeuwen en tijgers, en wij mogen meedoen!'

'Kijk, dit is wat we gaan doen,' zegt Lotte enthousiast, en ze gebaart dat Luna in het gras moet gaan zitten.

Luna kijkt haar geschrokken aan en schudt onopvallend haar hoofd. Onhandig zegt ze: 'We euh... moeten het nog oefenen.'

'We kunnen het toch even aan Adem laten zien?' Lotte geeft haar zus een duwtje in de rug, maar Luna verzet geen stap.

'Nee.' Luna legt haar armen over elkaar. 'Ik wil dit niet doen.'

'Nou ja!' Lotte werpt haar armen in de lucht, maar Luna haalt haar schouders op.

Adem snapt er niks meer van. 'Gaan jullie nou wel of niet meedoen in het circus?' vraagt hij.

Lotte roept verontrust: 'Ik zou de danseres zijn en Luna het paard. En nou wil ze ineens niet meer!'

Adem moet lachen en Luna krijgt alweer een rood hoofd. 'Ik wil niet alleen maar het paard zijn, dat is stom.'

Adem legt een arm op Luna's schouder (Luna zegt dat ze niet verliefd op hem is – maar als dat waar is, dan reageer je heus niet zo verlegen, hoor!) en stelt haar gerust. 'Jullie moeten gewoon allebei een danseres zijn' – hij legt nu ook een hand tegen Lottes bovenarm – 'én een paard.'

Huh?

Adem geeft hen een zachte kneep in hun arm. 'Dansende paardjes. Met een verentooi op, en je handen als pootjes voor je. Dat ziet er toch meteen circusachtig uit? En het is ook niet al te moeilijk.'

De zussen kijken elkaar lang aan. Tsja… op zich is het natuurlijk wel een idee.

Lotte zegt: 'Dan zou je niet meer op handen en knieën hoeven.' Ze haalt adem. 'En dan lijk je tenminste niet steeds op een varken, hihi…' En Lotte sprint weg.

'O!' Luna begint achter haar zus aan te rennen, maar Adem volgt hen niet – hij laat hen wel vaker even hun gang gaan zonder zich ermee te bemoeien. Nee, hij loopt het restaurant in en pakt twee pluizige stoffers uit de gangkast.

'Kan je dit achter in je haar steken?' vraagt hij.

Meteen houden de meiden op met stoeien en komen

bij hem staan. 'Hier.' Adem drukt het smalle handvat in Luna's krullen en ja, hoewel het ding nog scheef staat, kan het best wel op de verentooi van een cir-cuspaard lijken.

Lotte begint meteen te hinniken en houdt haar handen paardjesachtig voor zich.

'En nu gaan jullie springend lopen, van je ene op je andere been.' Adem springt een eindje mee: hop links, hop rechts, hop links…

'En soms doe je dan tegelijk je rechterbeen opzij – zo.' Hij doet het voor en de meiden doen hem na. Hij is zo lief, je zou denken dat hij een kleiner zusje heeft. Toch weten de meiden dat dat niet zo is.

'Of je doet je armen in de lucht – zo.'

Adem heeft gelijk; het gaat er straks hartstikke leuk uitzien. Als ze de stoffers vervangen door mooie veren-tooien, en de pasjes precies tegelijk uitvoeren.

'Paarden doen altijd hun hoofden omlaag en omhoog. Dus dat kan je doen terwijl je alsmaar door blijft huppen, alsof het een paardendraf is.'

Luna en Lotte draven – hups, hop, hups – en doen hun hoofd laag, hoog, laag… Ze hebben een brede lach op hun gezicht; Adem heeft ze gered, ze hebben een act om in het circus te doen!

Maar dan worden ze plotseling onderbroken door een schreeuw: 'Aáárgh!'

Huh? Meteen stoppen de meiden met draven, en ook Adem kijkt verbaasd op.

Camil staat aan de overkant van het grasveld, aan de

bosrand. Hij heeft modder aan zijn broek en klitten in zijn haren. Zijn lange, smerige armen hangen langs zijn lichaam.

'Wat zijn jullie aan het doen?!' roept hij naar hen.

Luna zegt: 'Een paardenact.'

Lotte knikt. 'Want het circus komt tóch.'

'Nee hè!' Camil werpt zijn armen in de lucht. 'Het kán niet, waar moet ik dan- euh... ik heb toch gezegd dat ze niet moeten komen?!' Het gekke is; hij heeft het niet meer tegen Luna en Lotte. Nee, hij begint te ijsberen en in zichzelf te praten: 'Als het toch doorgaat moet ik iets anders verzinnen. Het circus... hier. Waarom luistert meneer Veldstra nou niet naar mij...? Ik zal iets anders doen, maar wat, maar *wat?!*'

Dan verdwijnt hij naar het restaurant. Gek genoeg liep hij eerst terug naar de bomen, maar bedacht zich en draaide zich weer om. Hoofdschuddend liep hij het hele grasveld over, en zei niks meer tegen de meiden. Toen stapte hij door de grote schuurdeuren Plaza Patatta in.

Hij gaat zich douchen, hopelijk. Luna denkt dat hij dat gaat doen – alweer in hun huis. Het is wel nodig ook, want over een uur of twee komen de eerste gasten.

'Wie is dat?' vraagt Adem uiteindelijk.

'Ja...' Luna zet pissig haar handen in haar zij. 'Dat is dus Camil.'

'Papa heeft hem aangenomen als ober,' zegt Lotte – maar zij klinkt bang.

'Hij bakt er niks van,' spuugt Luna weer.

Adem glimlacht: 'Maar hij hoeft toch ook niet te koken?'

Lotte schudt haar hoofd: 'Nee, we zeggen toch dat hij de óber is.'

Ze krijgt een por tegen haar arm van Luna. 'Adem maakte een grapje, kipje.'

'Geeft niks,' zegt Adem. 'Maar omdat Luna zei dat hij er niks van *bakt*, zei ik dat hij toch ook niet hoeft te *koken*. Omdat hij de ober is. Snap je wel?'

Lotte kijkt haar zus uitdagend aan. 'Dat snapte ik heus wel, varkentje.'

'Echt niet, je snapte er niks van, ap-pel-tje.'

'Jij anders óók niet, stuk meloen.'

'Kersenpit.'

'Bananentros.'

'Meiden, meiden,' sust Adem. 'Wat ik me afvraag, is waarom hij uit het bos kwam lopen.'

Luna en Lotte vallen stil.

'Hadden jullie dat niet in de gaten?' Adem lacht hen hardop uit. 'Komt hij door het bos naar zijn werk, of zo?'

'Dat weten we dus niet.' Lotte haalt haar schouders op. 'Hij zegt dat hij ver weg woont.'

'Papa heeft hem in de berm gevonden.'

Ineens begint Lotte te piepen: 'Je denkt toch niet dat hij het Bosbeest is?!'

'Het Bosbeest, weet je dat nog?' Luna krijgt een gemene lach rond haar mond. 'Je bedoelt het beest dat zomaar uit de bomen springt om jou te pakken?'

'Meiden!' Adem neemt de zusjes mee naar binnen. 'Laten we eerst maar eens muziek gaan zoeken voor jullie circus-act.'

5 Een extremist

Als je de zussen de volgende dag in het gras bezig zag,
zou je niet denken dat ze ooit een moment waren gestopt
met elkaar gekke namen geven...

Luna vraagt: 'Het is zeker te zwaar voor je, spaghetti-
sliert?'

Lotte puft: 'Echt niet, walnoot.'

Maar eigenlijk is het wel te zwaar.
Lotte heeft een rood aangelopen
hoofd, en zweetdruppels parelen op
haar gezicht. Pfft! Ze moeten van

papa het gras maaien, zodat het circus de tent erop kan
zetten.

Daar hebben ze zo'n vet coole zit-machine voor, maar
die vindt papa te gevaarlijk voor zijn meiden. Nee, ze
moeten het van hem doen met een handmaaier. Met zijn
tweetjes staan ze ertegen te duwen. Maar het gras is veel
te hoog! En het werk is veel te zwaar!

'Ik kan niet meer,' zucht Lotte dan, en ploft in het gras.

Luna gaat languit naast haar liggen. 'Zullen we dan eens een plan bedenken hoe we Camil hier weg kunnen krijgen?'

'Ik kan nog steeds niet geloven dat papa hem hier laat werken.'

'Hij kan er niks van.'

'Nee.' Lotte is stil. Dan vraagt ze: 'Maar denk je dat hij euh... gevaarlijk is? Ik bedoel: zou hij óns iets aandoen?'

Luna haalt haar schouders op. 'Ons niet per se, maar het circus duidelijk wel. Ik heb nog nooit iemand gezien die zo'n hekel aan het circus heeft.'

'En als hij iets met het circus wil doen, een bom laten ontploffen of zo, en wij zijn daar toevallig óók? Wat denk je dan?'

Luna plukt wat grassprietjes uit de grond. 'Dan laat hij toch de bom ontploffen.'

Lotte veert omhoog. 'Denk je dat écht?!'

Terwijl Luna aan de grassprietjes peutert, zegt ze: 'Er zijn mensen die zó graag iets kapot willen maken, dat ze niet nadenken bij wat ze nog méér kapotmaken. Snap je?'

Lotte knikt, maar Luna ziet aan haar ogen dat ze er eigenlijk niks van begrijpt. Ze zucht. 'Er zijn kinderen die klasgenootjes gaan pesten omdat ze bang zijn dat ze anders zélf uitgelachen worden.'

'Hmm,' doet Lotte.

'Er zijn kinderen die willen dat anderen niet met een mooie schelp naar huis gaan, en de schelp daarom maar vast stukmaken.'

'Wat zegt dat over Camil?'

34

Luna zegt: 'Er zijn gescheiden ouders die hun eigen kinderen iets ergs aandoen, alleen maar om ervoor te zorgen dat de ándere ouder ze óók niet heeft.'

'Dat heb ik weleens op het Jeugdjournaal gezien – brr.'

'Dan wil je niet dat de ander een leuke middag heeft, maar dan verpest je het óók voor de kinderen, snap je?' En Luna gaat verder: 'Zo zijn er mensen die bommen laten ontploffen op drukke plaatsen, om te zeggen dat ze het ergens niet mee eens zijn. Met de regering bijvoorbeeld.'

Lotte komt overeind. 'Je bedoelt: drukke plaatsen zoals een circus?'

'Bijvoorbeeld.'

'Om te laten weten dat je het er niet mee eens bent?'

Luna knikt. 'Dan wil je een gebouw kapotmaken, of eindelijk je zin krijgen, en maak je óók zomaar twintig mensen dood.'

'Maar dat... is heel erg!'

Opnieuw knikt Luna. 'Dan heet je een extremist.' Ze legt haar vinger tegen haar kin. 'Of was het nou terrorist?'

Lotte slikt een dikke brok in haar keel weg. 'Maar wat, als Camil mensen wil doodmaken bij *ons*?'

'We weten natuurlijk niet hoe hij wordt als hij zijn zin niet krijgt.'

'Nou, volgens mij reageert hij niet best. Hoe hij gisteren deed is toch niet normaal?' Lotte knippert niet met haar ogen als ze vraagt: 'Denk je dat onze Camil zo'n euh... extreem is?'

'Extremist,' verbetert Luna haar. Ze staat op. 'Ik weet het niet. Ik hoop het niet.' Ze tuurt in de verte en zucht.

'Hij staat daar in ieder geval wel gek te doen achter de bomen.'

'Wat, wat, waar?' Lotte springt op, en gaat gauw achter de rug van haar zus staan. Zo staan ze in de verte te turen. 'Ik zie hem niet.'

'Jawel, daar!'

'O ja!'

Meteen gaat Lotte weer plat op haar buik liggen, en zegt tegen haar zus dat die ook moet bukken. 'Anders ziet hij je!'

Luna zakt door haar knieën. Zo turen ze in de verte, met kriebelende grassprietjes aan hun armen en kin. Het is maar goed dat het nog geen kort, pasgemaaid gras is!

'Is hij ooit wel eens over de gewone weg naar zijn werk gekomen…?'

Camil loopt van boom naar boom. Hij legt een streng van zijn lange haren in zijn mond, bijt er een tijdje op, en laat hem dan weer los.

'Wat doet hij?'

'Weet ik veel!'

'Wat heeft hij nou in zijn hand?'

'Als-je-even-je-mond-houdt-kan-ik-tenminste-kijken!'

'Nou, sorry hoor…' Lotte legt haar hoofd weer op haar handen, in het gras. 'Maar ik vind het eng.'

'Ssst!'

Zo liggen ze zwijgend te kijken naar hun jonge, vieze, brutale ober. Met een touw in zijn handen ijsbeert hij tussen de bomen. Wat doet hij toch…?

Dit is de plek waar papa de woonwagens van de artieoten wil zetten, weet Lotte. Zou dat een reden kunnen zijn om er een bom te plaatsen? Je moet er toch niet aan denken dat alle circusartiesten bij hén worden opgeblazen? Vermoord? Plaza Patatta zou voor altijd verbonden zijn aan een afschuwelijke gebeurtenis…

Op zich zien ze hem natuurlijk niet met een bom lopen maar met een stuk touw. Het lijkt wel een wurgtouw. Wat moet hij daarmee?

Lotte schrikt op: hij maakt natuurlijk een galg! Hij laat geen bom afgaan, maar hangt iedereen op aan een boom!

Dat zou er vreselijk uitzien: de dompteur, de acrobaat, de trapezewerker en de clown. Allemaal bungelend aan een Plaza Patatta-boom. Lotte schudt haar hoofd – niet aan denken!

'Ik weet niet of ik het nog wel zo'n goed idee vind dat het circus komt...' piept ze.

Luna bijt op haar lip. 'Misschien moeten we ons stukje maar liever niet doen.'

'O, dus jij denkt ook...?'

Luna haalt haar schouders op. 'Ik denk dat het wel verstandig is als we hem tijdens de voorstelling in de gaten kunnen houden om – iii!'

'Wat?!' schrikt Lotte. 'Iieieieieieie!!!'

Ze voelt haar hart in haar hoofd bonken. Haar benen tintelen van de schok.

'Ik ben het maar!' Papa kijkt zijn dochters verbaasd aan. 'Ik kneep toch alleen maar in je zij?' vraagt hij aan Luna.

'Ja.' Luna lacht. 'Daar kan ik niet tegen – en Lotte kennelijk ook niet.'

Papa krijgt een glans in zijn ogen en zegt: 'Weten jullie wie er óók komt optreden in het circus? Mama!'

De meiden zeggen tegelijk: 'Mama?'

'Mama!' Papa knikt alsof het alleen maar *fantastisch* is, en helemaal niet *gevaarlijk*. 'Als mama zingt, raakt het circus zeker uitverkocht. Dan kunnen ze even genoeg geld verdienen om nog een tijdje door te kunnen!'

'Maar papa...' Lotte kijkt hem verschrikt aan. Zij realiseert zich meteen dat de kans op een ontploffing alleen maar gróter wordt als er meer mensen zijn. En dan... hun lieve moeder in de circuspiste. 'Dat kan helemaal niet!'

6 Meer mensen, meer doden

De meiden zuchten. Het is tijd dat papa eindelijk begrijpt welk gevaar hij in Plaza Patatta heeft binnenge-haald.

'Als mama komt zingen…' – Lotte zucht. Wat zou ze haar moeder graag horen zingen. Mama's stem is nog mooier dan die van een nachtegaal. Als mama zingt, begint iedereen te glimlachen – 'is haar leven in gevaar.'

Papa kijkt zijn dochter met grote ogen aan. Hij weet duidelijk niet of hij moet lachen of boos worden. 'Hoe kom je daar nou bij?'

Hij vraagt het als een verwijt. Zoals je ook vraagt: 'Waarom heb jij de laatste koek gepakt?!' Of: 'Hoezo ben je met je witte broek door de modder gaan lopen?' Zo vraagt hij het.

Lotte kijkt haar zus aan, maar die kijkt droogjes terug. Ja, zeg het nou maar, lijkt ze te denken. Lotte slaat haar ogen neer en fluistert: 'We denken dat Camil een extreme is.'

Eindelijk doet Luna haar mond open: 'Een extremist.'

'Hoe kom je daar nou bij?!' Opnieuw lijkt papa een lach tegen te houden.

Dat ingehouden lachje is Luna net te veel. Zo erg als zij het vindt om iets niet te weten, net zo erg vindt ze het om niet serieus te worden genomen. Scherp antwoordt ze: 'Jij hebt anders niet gezien hoe hij op het circus reageert.'

'Precies.' Lotte is opgelucht dat haar zus haar eindelijk komt steunen. 'Hij wordt er helemaal gek van.'

Luna knikt, maar laat Lotte praten: 'Gisteren zag hij ons oefenen voor de dansende paardjes. Weet je wat hij deed? Hij barstte in huilen uit!'

'Dat klopt,' zegt Luna. 'Het was niet normaal.'

Lotte knikt. 'Hij zei dat hij van alles zou verzinnen om het circus tegen te houden. Hij baalt dat jij niet doet wat hij wil. En sindsdien doet hij nog vreemder dan anders.'

'Hij loopt met dikke touwen door het bos.'

Papa trekt zijn wenkbrauwen op. 'Is dat zo?'

Luna legt haar armen over elkaar. 'Hoe grappig is het nu nog dat je een vreemdeling in huis hebt gehaald? Uit de berm?!'

Lotte zegt: 'Hij kan ook helemaal niet oberen. Hij *bakt* er niks van!'

'Tsja,' zegt papa met zijn vinger aan zijn kin… 'Maar hij hoeft toch ook niet te koken?' Hij laat even een theatrale stilte vallen – maar geen van zijn dochters moet om hem lachen, helaas. Dan zegt hij: 'Over koken gesproken, ik wil jullie iets laten proeven.'

Hij wenkt de meiden dat ze achter hem aan moeten komen, naar binnen, maar Luna en Lotte blijven in het gras staan.

'Wat is er nou?' vraagt papa.

Luna draait met haar ogen. 'We hebben je net iets verteld!'

'Iets ergs,' knikt Lotte.

Papa knikt. 'Ik zal hem in de gaten houden. Jullie hebben gelijk; sommige mensen zijn niet te vertrouwen. Dat vergeet ik nog wel eens.'

Opgelucht halen de meiden adem.

'Komen jullie nu dan mee om te proeven?'

Ze lopen door de brede gang de keuken in – waar de Gamestation op de koelkast staat (dat is net zoiets als een Playstation, maar dan zelf bedacht door papa)* en een gereedschapskist op het fornuis.

'Hier is het.' Papa wijst trots naar een schaal vol kleine soepstengels. Luna en Lotte kijken hem afwachtend aan, maar hij maakt geen aanstalten om uit te leggen wat het is. (Waar zit hij toch altijd met zijn hoofd…)

'Pap,' zegt Lotte daarom maar.

* zie: *Een giftige indringer*

'O ja! Sorry!' Papa geeft de meiden een soepstengeltje en pakt een kom uit de koelkast.

'Wat heb je daar?' vraagt Luna. Ze wil op zich niet wantrouwend zijn hoor, maar ze hebben nogal wat meegemaakt met hun vader. Pasgeleden heeft hij bijvoorbeeld nog puddingpasta geserveerd. Ja, dat was dus precies zoals het klinkt: gekookte pasta (schelpjes) met een hele bak pudding er doorheen geroerd. De gele derrie lag in klonten door de dampende pasta – brrr.

Daarvóór had hij een ander briljant plan, namelijk gegrilde spruitjes in een badje van gesmolten pindakaas. Lotte heeft het dapper geproefd (eigenlijk is zij op dat gebied de grootste durfal van de twee), en heeft nog dagen met een wee gevoel van misselijkheid gelopen.

Vandaar dus, dat de meiden niet meteen staan te springen om het nieuwe prutje in hun mond te steken…

'Wat euh… is het?' vraagt Luna.

'Nou, kijk.' Papa zet het kommetje op het aanrecht

zodat hij allebei zijn handen kan gebruiken tijdens het praten. 'We krijgen toch een circus? Toen dacht ik: zou het niet leuk zijn als het publiek tijdens de voorstelling kan knabbelen op een speciaal circus-recept?'

Lotte knikt. Ja, dat zou natuurlijk super zijn.

Papa houdt zijn handen voor zijn borst en zegt: 'Dus ik dacht aan acrobatenbrij, of leeuwenloempia's, maar dat werd te ingewikkeld.' (Gelukkig, denkt Luna stiekem.) 'Toen bedacht ik me dat ik het dichter bij huis moest zoeken, beter bij de basis van het circus moest blijven. En waar speelt het circus zich af? In een tent. En waar blijft een tent mee staan?'

Lotte trekt een vragend gezicht.

'Met tentharingen!' Papa strekt de vingers van zijn handen uit. 'De mensen krijgen lekkere tentharingen!' Hij grabbelt door de bak met soepstengels. 'Dit zijn de tentharingen.' (Pfoe, denkt Luna weer opgelucht.) Hij neemt opnieuw de kom met het prutje in zijn hand. 'En die kan je hierin dippen!'

'Wat is het?' vraagt Lotte voor de zekerheid, maar ze roert haar soepstengel al door het bakje.

'Broodkruimels met olie en water. Volstrekt ongevaar-lijk.'

Luna trekt een vies gezicht: 'Wil je *brood* dippen in *brood*?!'

'Nee nee.' Papa kijkt trots. 'Je dipt een *soepstengel* in verkruimelde *bruchetta's*.'

'Het is eigenlijk wel lekker,' zegt Lotte verbaasd.

'Echt waar?!'

'Joehoe!' klinkt het uit de gang, en iedereen weet inmiddels: dat is dus mevrouw Toddel weer.

Ze loopt met verrassend kleine pasjes voor zo'n groot – nee, *dik* – lijf. Mama is ook groot en vol, met haar romige borsten en volle, bolle buik. Maar bij mama is het anders. Mama is een vrouw waar je lekker tegenaan wilt kruipen, als tegen een warm kussen.

Mevrouw Toddel is groot op een andere manier. Zij is *vierkant* dik, zeg maar. Als een betonblokje, of gewoon: blok. Ze is aardig hoor, ook al kletst ze zo graag over iedereen uit Biesland – ze heeft er tenslotte maar voor gezorgd dat het circus toch kan optreden. Maar iets in haar maakt toch dat je liever tegenover haar zit, dan tegen haar *aan*.

als betonblokje

'Kijk eens wat ik heb?'

Ze lopen met haar mee naar de eetzaal. Daar legt mevrouw Toddel grote borden aan lange stokken neer. Op de borden staat: *Het circus moet blijven.*

En: *Wij willen circus.*

En: *Welkom circus!*

Luna en Lotte kijken ernaar zonder met hun ogen te knipperen. Wat zal Camil hiervan zeggen? Hoe zal hij hierop reageren...? (En trouwens: waar *is* hij eigenlijk?)

Mevrouw Toddel zegt: 'Tientallen mensen komen

demonstreren voor behoud van het circus. Iedereen uit Biesland komt naar de voorstelling, hoor. Het zit hier straks *bomvol!*'

'Dat hoop ik niet!' piept Lotte ineens bang.

'Hm?' Mevrouw Toddel kijkt haar vragend aan, maar knippert toch ietwat geïrriteerd met haar blauw opgemaakte ogen. Ze houdt duidelijk niet van onderbrekingen.

Luna neemt het voor haar zusje op en zegt: 'Nou, Lotte bedoelt dat het misschien óók goed is om bij de voorstellingen niet ál te veel publiek te hebben. Misschien, bijvoorbeeld, voor de euh... veiligheid?'

Mevrouw Toddel kijkt naar papa Hans alsof ze verwacht dat hij zijn dochter een standje zal geven. Ze pruttelt: 'Nou, dat lijkt me niet. Het circus wil natuurlijk dat zoveel mogelijk mensen komen kijken. En daar gaan wij voor zorgen.' Ze staat op.

'Natuurlijk, mevrouw,' sust papa. 'En wij helpen u daarbij.'

'Weet u...' Ze glimlacht tegen papa en strijkt haar rok recht. 'De kranten gaan erover schrijven. *De Bode van Biesland* en misschien zelfs de *Krant van het Land!*'

'O... Dat zou fantastisch zijn.'

'Heeft u nog gevraagd of Marianne een bijdrage levert?'

'Ja,' knikt papa. 'Die komt ook–'

'Nee!' roept Luna onverwacht hard. Ze kijkt haar vader indringend aan.

Maar mevrouw Toddel heeft nu echt een boze frons op haar gezicht. 'Zeg jongedames, het is niet de bedoeling dat jullie steeds door ons heen wauwelen.' Ze glimlacht opnieuw tegen papa en zegt: 'Prima, dan geef ik aan de kranten door dat ze erbij zal zijn. Dat zal nóg meer mensen trekken.'

Dan geeft ze nog een laatste strenge blik aan de meiden en vertrekt.

'Sorry,' zegt papa, 'ik was het even vergeten.'

Lotte kan wel janken. 'Hoe moet het nou als hij écht een aanslag wil plegen? Dan staat mama in het circus als de bom afgaat en is het jouw schuld!' Met tranen in haar ogen rent ze naar boven.

Papa probeert het goed te maken door tegen Luna te zeggen: 'Zodra mama thuis is, zal ik dit met haar overleggen. En als zij het nodig vindt, dan bedenken we samen een smoes zodat ze niet hoeft op te treden. Goed?'

Nog steeds zegt Luna niks.

'Ik zal hem extra in de gaten houden, dat beloof ik.'

Maar Luna gaat zonder nog iets te zeggen achter haar zusje aan.

7 Betrapt (1)

's Avonds is het weer zo druk in het restaurant. Luna en Lotte halen steeds bakplaten vol patatta's uit de oven – en letten daarbij goed op dat ze zich niet verbranden. Luna schept frietjes in de trein die linksom gaat, en Lotte doet de trein die rechts langs de muur rijdt. Nu komt eigenlijk het leukste gedeelte van het werk.

Ze spieden van achter de halve muur naar de gasten die op hun eten wachten. (Kinderen zitten in het restaurant vaak honderduit aan hun ouders te vertellen. En de ouders moeten vaak lachen om grapjes van hun kinderen – dat is altijd zo gezellig.)

'Ik neem de derde tafel,' zegt Luna.

'Oké, ik doe de tweede.'

Ze drukken op een knop en de trein gaat rijden. Met op elke wagon een bakje friet. De mensen in het restaurant kijken om naar de treintjes, en Luna en Lotte glimlachen naar elkaar.

Zodra de treintjes bij de goede tafels zijn, drukken de zussen op hun stop-knop. De gasten mogen nu zelf hun Plaza Patatta's van de wagons pakken, en doen dat lachend en enthousiast. Als ze klaar zijn, zetten de meiden hun treinen weer in beweging – die rijden terug naar de keuken zodat ze er nieuwe bakjes met friet op kunnen laden.

Ze moeten best wel aanpoten, en zij doen alleen nog maar de patatjes. Voor alle andere gerechten hebben ze dus echt wel een ober nodig, maar moet dat nou per se Camil zijn?

Ze houden hem goed in de gaten, maar kunnen tot op heden nog geen foutjes ontdekken. Hij serveert Papa's Tomatensoep zonder knoeien. Hij stapelt met gemak vier borden met Oma's Zomersalade op zijn ene arm, en neemt nog Kruidenboter Kip mee in zijn andere hand.

Hmm…

De mensen zijn tevreden. Hij neemt hun bestellingen op tijd op en adviseert Discoballen of Mini-ijsjes als kinderen niet weten welk toetje ze zullen kiezen.

Natuurlijk zijn de meiden zelf ook druk, en daarom kunnen ze (helaas) niet elke stap volgen die hun razende ober zet.

Papa is ook druk. Hij *zegt* wel dat hij Camil met verhoogde inzet zal volgen, maar wat hij *doet* is: Feestflappen dichtvouwen, Basilicumbrood kneden, Adems brooddip roeren...

'Hij doet alles goed.' Lotte baalt ervan.

Maar het is zo. Camil ruimt óók nog alle tafels netjes af. Hij schuift de borden niet eens op het aanrecht, maar zet ze meteen in de vaatwasser – en ineens weet Lotte wat er mis is.

De vaatwasser.

De borden.

Alles is leeg.

Ze stoot haar zus aan. 'Alle borden komen leeg terug.'

'Hm?'

'Alle. Borden. Komen. Leeg. Terug.'

Luna kijkt op.

'De borden!' Lotte verliest haar geduld. Het gebeurt nooit dat gasten zo netjes hun borden leeg eten. Ze vinden het wel lekker natuurlijk, maar iedereen laat áltijd wel iets liggen. Dat is in alle restaurants zo: er blijven blaadjes sla achter, of stukjes tomaat.

Vooral borden van kinderen kunnen nog erg vol zijn als ze al worden weggehaald. Dan hebben ze nauwelijks hun frieten gegeten, of zelfs de appelmoes laten staan.

Maar vanavond... zijn alle borden leeg. Alles. Léég. Alsof er nooit eten op heeft gelegen. Alsof ze een spookrestaurant zijn, waar nooit echt voedsel wordt geserveerd.

'Verrek, je hebt gelijk,' zegt Luna.

'Ik heb altijd gelijk.'

'Vergeet het maar, aardappelkroketje.' Luna prikt Lotte in haar zij, en die moet erom giechelen.

'Hoe kan het?'

De meiden steken hun neuzen om de hoek van de muur. Net genoeg om Camil aan het werk te zien, zonder dat hij *hen* ziet. Dit is wat hij doet:

1: Hij pakt de borden van tafel zes. Zie je, er liggen heus nog restjes op, en het bord van de kleinste kan je echt nog 'vol' noemen.

2: Hij vraagt of het heeft gesmaakt. (Ja, dat doet hij dus wel goed, helaas.)

3: Hij vraagt of ze nog iets willen drinken. (Hè, waarom maakt hij nou geen fout?)

4: Hij zegt glimlachend dat het toetje er straks aan-komt. (Verdorie!)

5: Hij loopt van de tafel weg, langs het waterbassin waar afstandsbestuurbare bootjes in drijven. (Die staat precies aan de andere kant van de muur, dus hier kunnen ze hem even niet zien) En…

6: Hij komt de keuken in.

Lottes mond valt open. De borden zijn *leeg*! Hoe kan het, wanneer heeft hij dat gedaan! Toch niet in dat korte moment dat ze hem niet konden zien? Hoe bestaat het!

'Aha!' roept Lotte. Ze priemt met haar vinger in de richting van de jongen.

'Wat?' Camil bukt bij de vaatwasser om alle borden erin te zetten.

'Waar is het eten dat van de borden kwam?!'

Papa komt erbij staan. 'Is er iets?'

Luna knikt. 'Camil komt met lege borden terug.'

'Natuurlijk, schattekontje.' Papa legt zijn ene arm om Luna heen, en met de andere veegt hij langs zijn voorhoofd. 'Omdat jouw vader zo lekker heeft leren koken!'

'Precies.' Ohoo – die stomme Camil ruikt zijn kans en zegt: 'De mensen vinden het heerlijk, meneer Veldstra.'

Papa gaat alweer tevreden terug naar zijn fornuis, maar Luna houdt hem tegen. 'Het klópt niet, wij zeggen toch dat het niet klopt?!'

Ze gaat op handen en knieën zitten en Lotte volgt haar. Samen kruipen ze langs de muur het restaurant in. Juist omdat ze onopvallend proberen te zijn, ziet het er eerlijk gezegd gek uit. Maar omdat in Plaza Patatta wel meer ongewone dingen gebeuren, komt niemand vragen of er iets mis is.

Zo gaan ze langs de muur richting de grote waterbak. (Als mama thuis is, legt papa er wel eens een plank op en wordt dit het podium van het restaurant.)

'Er is niks,' zegt Camil – maar als dat zo is, waarom dribbelt hij dan zo nerveus achter hen aan?

Bij de bak blijven de meiden zitten. Er drijft geen eten in het water, gelukkig, want het zou een kleine ramp zijn als ze alles eruit moesten vissen…

Ze zien niks liggen; niet onder de tafels, niet bij de bak.

'Hoe kan dat?' zegt Lotte hardop.

'Ik zei het toch.' Camil lacht een zenuwachtig lachje. Zonder die tand ziet hij eruit alsof hij een piraat is die een lijk heeft verstopt.

51

Het liefst zou Luna het hele restaurant ondersteboven keren tot ze de etensresten heeft gevonden, maar daarvoor is het echt te druk. Ze zal moeten wachten.

Ze staat op, trekt haar kleding recht, en wil in een gróóóte boog om Camil heen lopen. Expres. Om hem te laten voelen hoe ongewenst hij is.

Maar ze heeft haar neus zo hoog in de lucht (om te laten zien dat ze bóven hem staat), dat ze niet goed ziet hóé groot de boog is die ze maakt. Ze stapt – oemf – tegen het hout van de waterbak.

'Hihi,' lacht Lotte. 'Lekker handig ben je, botervisje.'

Maar Luna plaagt niet terug. Nee, die kijkt verbaasd omlaag. Want haar voet... staat *in* de waterbak. Nee, *onder* de waterbak. Nou ja: *achter* het hout dat om de bak heen is gebouwd.

'Daar is niks, daar is niks!' Camil springt nu letterlijk op en neer.

Aha...

Luna zakt door haar knieën. Geeft een zacht duwtje tegen het hout. En ziet een teil vol voedselresten.

'Lot?' zegt ze.

'Hm?'

'Ga papa eens halen.'

Laat die avond, als de laatste gasten zijn vertrokken, zitten ze met z'n vieren aan een tafel. Camil friemelt aan zijn vingers. Er is niks overgebleven van zijn brutale houding – het lijkt zowaar of hij wil gaan huilen, de acteur!

'Het spijt me, meneer Veldstra,' jammert hij. 'Maar ik heb elke avond zo'n honger.'

'Maar je kunt toch gewoon wat meer eten nemen?'

'Jawel, maar…' Camil kucht. 'U euh… geeft mij al zo veel. En ik dacht: op deze manier kost het niks extra.'

Niemand gelooft het. Luna niet. Lotte zeker niet. Ook papa is wantrouwend. Zelfs Camil lijkt maar weinig vertrouwen te hebben in zijn eigen verhaal.

Op tafel staat de afwasteil vol voedselresten. Koude Patatta's die druipen van de soep. Gesmolten ijs vermengd met slap geworden sla…

'Mag ik het euh… meenemen?'

Papa kijkt Camil lang en ernstig aan. Dan knikt hij toch. En Camil verdwijnt met het afval.

Papa zucht. 'Het klopt niet.' Hij slaakt een nóg diepere zucht. 'We moeten hem in de gaten houden, maar ik wil dat jullie voorzichtiger zijn.'

'Hm?'

'Jullie moeten hem niet zo openlijk aanvallen. Niet nu we twijfelen of hij wel met emoties overweg kan.'

De meiden knikken. Ze zijn blij dat hun vader eindelijk ook begrijpt dat er iets niet klopt…

8 Booby traps

Al vroeg liggen de meiden de volgende dag weer in het gras. De ene helft van het veld is gemaaid, en papa zal met de maaimachine de andere helft doen.

Lotte ligt naar de bomen van het bos te staren. 'Wat zou hij daar nou steeds uitspoken?'

Eigenlijk is het wel vreemd dat ze hem niet achterna gaan. Normaal gaat Luna overal altijd meteen op af. Toen ze met die engerd zaten, die zich had opgesloten in het bos.* Of toen Lotte dacht dat een gast van mama's met messen en bijlen op hen lag te wachten.* Toen ze dachten dat Adem een geest was die bij hen kwam spoken.* Overal ging Luna steeds op af – maar die mensen probeerden altijd van de meiden wég te komen.

Terwijl die Camil... Als hij *binnen* al zo brutaal tegen hen doet, weet je nooit hoe hij *buiten* zal zijn. Camil is een pestkop, óók als papa in de buurt is, en Luna heeft geen idee wat hij zou doen als ze hem boos maken waar papa níét bij is.

'Misschien is hij *booby traps* aan het leggen,' denkt Lotte.

'Boebie wat?'

Lotte knikt. 'Dat zijn valstrikken, ken je dat niet eens?'

'Natuurlijk wel,' zegt Luna. Ze houdt een takje omhoog en Hector, de poes, springt ernaar. Hihi, het is

* zie resp. *Help, wie klopt daar?!*, *De gesloten kamer* en *De verdwenen jongen*

54

altijd leuk om met Hector te spelen – al moet je oppassen dat hij zijn nagels niet onverwacht in je been zet.

'Dat is dat je door het bos loopt, en ineens door het gras zakt. Blijkt er een valkuil te zijn.'

'Ik weet het wel hoor, ik verstond je gewoon niet goed. Jij zei 'boebie trap', maar je moet 'boebie trep' zeggen.'

Lotte aait Hector. 'In de kuil staan scherpe houten stokken en als je erop valt, gaan die door je buik.'

'Morsdood.'

Lotte zucht. Ze draait zich naar Luna toe.

'Weet je nog dat hij met dat dikke touw liep? Ik heb op televisie wel eens gezien dat mensen met hun voet in een lasso stapten en zo ondersteboven aan een boom werden gehangen.'

'O ja?' Luna draait zich ook om. 'Ik heb weleens gezien dat ze aan hun *hoofd* werden opgehangen.'

'Bij een booby trap?!'

'Zeker wel.' Ze steekt een grassprietje in haar mond. 'Meteen dood.'

'Tss.' Lotte legt haar handen onder haar hoofd. 'Mooi niet dat ik het bos nog in ga.'

'Ik ook niet.'

Maar dan komt Lotte overeind. 'Hoe moet het nou als de artiesten komen? Die gaan toch kamperen in het bos?'

Luna knikt. 'Ik hoop niet dat ze met tijgers en al in een booby trap vallen.'

'Luun!' Lotte geeft haar zus een stevige por tegen haar arm. 'Wat is er toch met je aan de hand? We kunnen dit toch niet laten gebeuren?'

Luna zucht. 'Ik weet het. En ik weet dat ik normaal meteen actie onderneem. Maar nu...'

'Wat is er dan?'

'Ik weet het niet. Ergens gun ik het die Camil niet. Dat we zoveel moeite doen om precies te achterhalen wat er aan de hand is – en dan zal je zien dat hij ons ergens staat uit te lachen aan het eind.'

'Uitlachen?'

'Ja.' Luna denkt even na. 'Vóórdat hij aan een koord trekt waarmee hij een net over ons laat vallen, of zo.'

Lotte krabbelt Hector langs zijn rug, maar ze moet gauw haar hand terugtrekken als hij ineens op haar vingers afspringt.

Luna zucht: 'Dat gun ik hem gewoon niet.'

Lotte knikt. 'Hij is irritant hè?'

Luna is het ermee eens. 'Bijna net zo irritant als jij.'

'Of jij.'

Zo liggen ze te soezen in het zonnetje, als ze horen: 'Joe-hoe, meisjes.'

'Daar heb je d'r weer,' zucht Luna.

'De demonstratie is begonnen, doen jullie mee?'

'Straks,' zegt Luna, maar mevrouw Toddel drukt hun beiden een houten bord in de hand.

'Alle pers van Biesland is er,' zegt ze. 'Kom.'

Dus komen de meisjes overeind. Ze weten niet goed of ze wel zoveel mogelijk mensen naar het circus willen trekken – want wat, als daardoor de kans steeds groter wordt dat Camil inderdaad een aanslag zal plegen?

Veel tijd om erover na te denken hebben ze niet, want zodra ze aan de voorkant komen van hun grote restaurant (de oude boerderij), zien ze mensen opgewonden staan praten. Ze zeggen dingen door elkaar heen als 'limousine' en 'klaar met toernee' en 'zingen in het circus'.

Luna en Lotte kunnen zich nog net inhouden om niet keihard te gaan juichen. Het is hun moeder! Ze is er al, ze is thuis – hoera!!

Een verslaggever van de Biesland Buzz (dat is de lokale radio), begint steeds sneller in zijn microfoon te praten: 'We hebben geluk want terwijlwehierbijdedemonstratie staan, zienweeenautoaankomen...' Hij ratelt zó snel, Lotte kan nauwelijks geloven dat een mond dat kan! '...endaarinlijktonzezesterMariannetezitten.'

Ook de cameraman van Biesland in Beeld (dat is de tv; ook wel BiB genoemd) houdt zijn camera op de limousine gericht. De kinderen van Biesland zeggen trouwens altijd graag dat ze op 'bibs' te zien zijn – en moeten dan net iets te hard lachen om zichzelf...

Gespannen zien Luna en Lotte de chique

57

limousine steeds dichterbij komen. Hun moeder komt thuis, hun lieve mama Marianne. Zij zal wel begrijpen dat papa een foute vent in huis heeft gehaald, zij zal alle problemen oplossen. Als iemand het kan, is zij dat!

De wagen stopt precies voor het huis, en de chauffeur maakt de achterdeur open. Daar stapt ze uit, in een adembenemende jurk, en met rood gestifte lippen.

'Wat een drukte,' zegt ze glimlachend tegen de journalisten. Ze kijkt zoekend rond naar haar dochters, maar die staan áchter de lange benen van de camera- en geluidsmensen.

'Mevrouw Veldstra,' zegt de verslaggever van Biesland Buzz. 'Klopt het dat u in het circus gaat zingen?' De presentator van BiB(s) houdt gauw zijn microfoon bij haar mond.

Luna en Lotte kijken elkaar geschrokken aan: o nee, mama weet nog niet dat ze misschien gevaar loopt als ze dat doet. Ze moet 'Nee' antwoorden of 'Misschien'. Niks beloven, mama Marianne!

Maar hun moeder antwoordt: 'Natuurlijk zal ik zingen. Ik ben dol op het circus, en als het helpt dat ik een stukje zing, doe ik dat met alle liefde.' Dan zegt ze nog een paar keer 'Dank u' en 'Dag' terwijl ze zich door de menigte werkt.

Haar dochters

ziet ze zo gauw niet staan. Verslagen kijken de meiden hoe hun moeder glimlachend en handjes gevend naar het huis loopt. Ze gaat zingen. Ze heeft het gezegd. Nu móéten de meiden wel op onderzoek uit. Nu moeten ze wel zeker zijn of Camil iets in zijn schild voert.

Luna zucht. 'Liever *wij* in een val dan onze knappe mama.'

Lotte knikt. 'Liever *jij*, zal je bedoelen.'

Luna lacht terwijl ze haar zus meetrekt naar Plaza Patatta. 'Wat denk je nou; ik laat jóú natuurlijk voorop lopen!'

'O, wat een goede grote zus ben jij toch!'

'Ga nou maar naar binnen, slome zalm.'

'Moet jij zeggen.'

'Nee, jij dan.'

'Nee, jij.'

9 Een veld vol slachtoffers

De volgende dag is het een wirwar van mannen die sjouwen, vrouwen die regelen, en kinderen die spelen. Luna en Lotte proberen niemand voor de voeten te lopen, maar staan toch steeds in de weg.

'Opgepast!' roepen de mannen, en dan springen de meiden verlegen opzij. Of ze zeggen: 'Hola!' – en dan moeten ze heel snel aan de kant, want dan komen de sjouwers met zulke zware palen langs dat ze die nauwelijks kunnen houden.

Ze rijden zware woonwagens tussen de bomen. Dat wil zeggen: die *duwen* ze met zes sterke kerels naar hun plek, want met de auto kunnen ze er niet tussen komen. De trailers met leeuwen moeten helemaal naar achteren op het grasveld. (Adem is speciaal gekomen om dit te zien – hij kijkt zijn ogen uit.) Daar, achteraan, wordt ook een enorme stal gebouwd voor de paarden en de lama's die ze bij zich hebben.

60

In het midden van het veld, daar komt hét belangrijkste ding: de circustent. Supergroot wordt die, gigantisch, met hoge torens bij de hoeken en een hemelshoge punt in het midden.

Overal is drukte. Luna krijgt er vlinders van in haar buik; zoveel actie! Lotte pakt ongemerkt de hand van haar zus. Vroeger deed ze dat ook wel eens, toen ze nog veel kleiner waren. Als er iets gebeurde dat ze nauwelijks kon bevatten. En nu doet ze het zomaar weer.

Ze heeft haar ogen wijd opengesperd en haar mond hangt een beetje open. Wauw…

Papa Hans is duidelijk verrukt dat het circus bij hem zijn kamp opslaat. Hij gaat een beetje springerig en handenwrijvend tussen de bouwers door. 'Oeps!' roept hij als iemand langs hem moet, en dan springt hij opzij, hoog als een kangoeroe.

Mama Marianne ligt nog te slapen. Zij mag altijd lekker uitslapen als ze thuiskomt van toernee, want dan is ze natuurlijk doodmoe. Straks willen de meiden ontbijt-op-bed maken voor hun moeder (ongeveer als ze zelf gaan middageten, hihi), en hopen ze alles te kunnen vertellen over Camil en zijn geheimzinnige gedrag.

'Zie jij hem ergens?' vraagt Lotte.

Luna schudt haar hoofd. Je kunt spieden wat je wilt, maar als je naar een krioelende menigte kijkt, kan je nauwelijks mensen herkennen. Het lijkt wel een zaterdagse markt, zoveel beweging is er.

'Ik kan me niet voorstellen dat iemand hier tegen zou zijn, jij?' zegt ze.

Nu is het aan Lotte om haar hoofd te schudden. 'Zo veel mensen die voor niks moeten omkomen. Al die lieve dieren. En moet je zien hoeveel kinderen bij het circus wonen...' In haar gedachten zijn het niet alleen vrolijke mensen, maar ook allemaal slachtoffers. Ze wordt radeloos bij het idee.

Luna knikt. 'En dan heb je het publiek nog niet eens meegeteld.'

De voorstelling voor morgen is inderdaad helemaal uitverkocht. Wel achthonderd mensen (!) hebben al een kaartje gekocht, en er is veel vraag naar kaartjes voor een tweede show. Allemaal dankzij het goede werk van mevrouw Toddel, dat moet gezegd.

De circusdirecteur heeft papa uitvoerig bedankt voor de gratis verblijfplaats, en hem gezegd dat ze in geen jaren zo goed hebben verkocht. Hij was blij, maar toch ook verdrietig. Het circus was haar beste act al kwijt, vertelde de directeur met tranen in zijn ogen. Een van de artiesten was weggelopen, en het dier waarmee hij optrad had hij meegenomen. Maar toch wilden ze niet alleen maar verdrietig zijn, zei hij. Er was nu ook goed nieuws: met het geld dat het circus in Biesland zou verdienen konden ze de hele zomer voorstellingen blijven geven. Hopelijk verdienden ze genoeg om daarna dóór te gaan!

'Daar!' Luna geeft Lotte een pittige por met haar elleboog – auw! Ze kijkt met ogen zo fel als die van een roofdier. 'Daar is hij!'

Lotte voelt haar hart een sprong maken en gluurt snel in de richting waar Luna naar wijst. 'Waar?' (En haar hartje doet: boem boem...)

Luna laat haar schouders hangen, maar krijgt toch iets strijdbaars over zich. 'Het is niet te geloven...' Ze laat Lottes hand los en balt haar vuisten.

'Waar?' vraagt Lotte opnieuw. Ze ziet veel mannen met blote borst, die lopen te sjouwen en zweten. Het lijkt of álle spieren in hun lichaam aan het werk zijn – en dat is natuurlijk ook zo.

'De schoft...' fluistert Luna pissig voor zich uit.

Maar Lotte ziet niks. Alleen een dametje in een scheef hangende jurk met een vieze broek eronder. Bijna alle circusbewoners hebben vieze kleren – maar wat wil je, als je de hele dag je huis aan het verplaatsen bent en buiten moet blijven. Het is een beetje zoals op de camping: je kleren worden alsmaar viezer, en dat kan je alsmaar minder schelen. Zoiets.

Opnieuw drukt Luna haar elleboog tegen Lottes rug. 'Kijk dan. Dáár.'

Lotte trekt haar mondhoeken omlaag zoals je doet als je écht het antwoord op een vraag niet weet. Bij rekenen bijvoorbeeld, of bij het dictee.

Ze ziet alleen die vrouw. Die staat daar inderdaad wel vreemd, verscholen achter een boom. Alsof niemand *haar* mag zien, maar zij het toch niet kan laten om de *anderen* te bekijken. Ze draagt een hoofddoek, en daar komen haar lange zwarte haren onderuit – o!

Hardop stoot Lotte de klank uit: 'O!'

'Hè, hè,' zucht Luna. 'Ze ziet het eindelijk.'

'Waarom heeft hij zich verkleed? Als *vrouw?*'

'We gaan hem achterna,' zegt Luna, maar ze durft toch niet helemaal alleen. Ze heeft geen idee waar deze Camil toe in staat is. En bovendien: als ze in het bos een kreet zou slaken, kan niemand haar horen in het lawaai.

Camil-als-vrouw kijkt met een gespannen gezicht naar de komst van het circusvolk. Wat zou er in hem omgaan? Zou hij denken:
- Kijk ze eens met de mannen meewerken, dat stel losgeslagen circusvrouwen...
- Zie toch eens hoe slecht de kinderen worden opgevoed, in deze chaos...
- Wat moeten die mannen in hun blote torso op het land ... die moeten nodig een lesje leren!

Zou dat het zijn? Luna en Lotte vinden de komst van het circus alleen maar spannend en leuk, dus ze hebben de grootste moeite om zich te verplaatsen in de gedachten van Camil die er zo anders over denkt.

'We moeten hem toch gaan aanpakken,' vindt Luna. Ze neemt haar zusje bij de hand en loopt in zijn richting.

'Kijk uit hoor,' zegt Lotte. 'We mogen niet in een van de euh... booby traps stappen.'

'Ik doe mijn best.'

Zo sluipen ze tussen de mensen door. Steeds een stapje dichter naar hem toe. Luna houdt haar ogen scherp gericht op Camil-als-vrouw, maar Lotte kijkt om zich heen. Naar Adem, die intussen een klusje heeft gekregen en blij als een kind is dat hij de-tweede-paal-van-links mag vasthouden tot die is vastgeschroefd. Ze kijkt naar papa, die met een dienblad vol milkshakes rondgaat en elke keer blij is als iemand er een neemt.

En ze kijkt natuurlijk naar Camil, die als een dief in de nacht achter de bomen schuilt. Hij ziet hen niet komen, gelukkig. (Of moet ze denken: helaas? Want als hij hen wél zag komen, zou hij tenminste weer weggaan...)

Vlak voordat ze de bosrand bereiken, klinkt er ineens: 'Skoewiiiieek!!' Au, het geluid doet zeer aan je oren! Wat is het, een onderdeel van de aanslag? Is het nu begonnen?

Iedereen stopt meteen met wat hij of zij aan het doen was, en dan klinkt papa's galmende stem door een microfoon. 'Goede(goede)middag(middag) allemaal(maal, maal).'

Papa bedankt het circus voor haar komst, en zegt dat hij graag een korte pauze zou inlassen.

'Waar(waar) zijn mijn schatte(atte)kontjes(jes, jes)?' galmt hij. Het moet tot de grens van Biesland te horen zijn – ooo, wat erg!

'Zijn dit ze?' roept iemand, met zijn vinger op de zussen gericht.

Schaapachtig zwaaien de meiden. Lotte hoort Luna zachtjes fluisteren: 'Ja hoor, hier zijn dus de schattekontjes.' Ze moet er in zichzelf om gniffelen.

'Komen(en) jullie, meiden(den,den)?'

Ze hebben geen keus: ze moeten naar hem toe. Iedereen kijkt naar hen. Nog even kijkt Luna om, en haar blik

kruist met de donkere ogen van Camil. Hij verdwijnt dieper het bos in. Brrr.

'Nu de tentharingen in de grond zitten(itten), willen
wij graag tentharingen in de buik zien(ien)!'
Papa lacht om zijn eigen grapje, maar
doet dat gelukkig niet in de microfoon.
Die legt hij neer en hij wenkt zijn meiden om sneller te komen. Ze moeten
de soepstengels uitdelen, en de
bakjes dipsaus over het terrein ver-
spreiden. Leuk om te doen hoor –
maar moet dat echt nú?!

ha ha grappig

10 Mobiliseren

Het is eigenlijk een grappig gezicht, zo'n restaurant vol circusartiesten. De sterke man zit met al zijn spierballen in de vensterbank. Hij vult het hele raamkozijn, er komt nauwelijks nog licht doorheen.

De trapezewerkers zitten als groepje bij elkaar op de rand van de waterbak. Zij kunnen zo goed in balans blijven, dat niemand bang is dat ze in het water zullen vallen.

De twee clowns van het circus snuffelen met hun rode neuzen aan de treinrails. 'Rijdt hier een echte trein over?' vragen ze aan niemand in het bijzonder – en in de drukte komt er ook van niemand een antwoord.

De directeur is in een van de stoelen geploft (en Lotte vraagt zich af hoe hij zijn dikke billen weer tussen de leuningen *uit* moet krijgen). Hij praat met de dame van de kassa. Ze moeten lachen, ze hebben duidelijk weer wat vertrouwen in de toekomst.

Papa Hans is druk met het bijvullen van de soepstengels, en kijkt of er iemand is aan wie hij nog níet heeft uitgelegd waarom het zo grappig is dat hij dit receptje tentharingen heeft genoemd.

En dan... komt mama binnen. Meteen verstomt het rumoer. Mama kijkt eerst nog wat verward om zich heen, maar zet al snel haar allerliefste glimlach op. 'Goedemorgen allemaal,' zegt ze met haar zangerige stem. 'Of misschien kan ik beter zeggen: goede*middag*.'

De artiesten lachen vriendelijk en knikken haar gedag. Sommigen staan voor haar op en een enkeling maakt een buiging.

'Wat hebben jullie voor lekkers?' vraagt mama, en papa springt op – eindelijk, nóg iemand om het recept aan te vertellen!

Luna en Lotte drukken mama Marianne een dikke kus op haar wang; ze snuiven haar heerlijke geur goed op. Maar zodra mama met papa mee is gelopen naar de keuken, zegt Luna ineens: 'Ik ga eropaf.'

'Het bos in?!'

Luna knikt beslist. 'Wat zitten we nou te wachten tot

er iets gebeurt? Dat is niks voor mij. Camil is iets van plan, en ik ga hem nú tegenhouden.'

'Luun!' Lotte zegt het zo serieus, dat Luna inderdaad even blijft wachten. 'Laten we dan euh... een paar mensen meenemen.'

Even fronst Luna, maar dan knikt ze. Ja, dat is een goed idee. Dus vragen ze de sterke man – wie anders – of hij mee wil. Dat is nog even een vreemd gesprekje, hoor, het gaat zo:

'Wilt u euh... even met ons mee?'

'Natuurlijk, is er een probleem?'

'Ja, dat denken we wel.'

'Moet ik iets tillen, of openbreken?'

'Dat euh... weten we niet.'

Dat schiet dus niet erg op, maar gelukkig is hij zo behulpzaam dat hij toch direct uit de vensterbank stapt en met de meiden meeloopt. De mensen in zijn buurt knipperen met hun ogen omdat er ineens zoveel zonlicht naar binnen schijnt, hihi.

Daarna gaan ze naar de slangenmeisjes.

'Willen jullie ons helpen?'

'Natuurlijk, moeten we ergens doorheen kruipen?'

'Dat euh... weten we nog niet.'

Maar ook de drie meisjes lopen meteen met Luna en Lotte mee. Als ze door de deur naar buiten stappen, komt Adem ineens aangerend. 'Ik ga mee,' zegt hij.

Luna kijkt hem dankbaar aan.

Dus stappen ze met z'n zevenen het grasveld over, op weg naar de bosrand. Luna begint te vertellen: 'Papa heeft een ober ingehuurd, maar die doet nogal euh... vreemd.'

Lotte knikt. 'Hij is fel tegen het circus.'

Hoofdschuddend zegt de sterke man: 'We doen niemand kwaad, maar soms heb je inderdaad mensen die tegen ons zijn.'

Ook de slangenmeisjes knikken dat het klopt.

'Nu denken we,' gaat Lotte verder, 'dat hij een aanslag wil plegen.'

Luna knikt. 'Hij heeft jullie de hele ochtend staan bekijken.'

Lotte voegt toe: 'In een jurk.'

'Ja,' zegt Luna. 'En toen we hem herkenden, liep hij weg.'

'Nog dieper het bos in.'

Iedereen is verbaasd en nieuwsgierig. Wat zou hij van plan zijn?

'Maar we móéten hem tegenhouden,' vindt Luna. 'Want straks zit het hele circus vol.'

De sterke man knikt. 'Het zou vreselijk zijn als er iets gebeurde met het publiek.'

Zodra ze het bos inlopen, valt iedereen stil. Lotte hoort alleen nog haar hart slaan: boem boem...

Zouden hier al van die booby traps zijn?

Boem boem...

Ze kijkt goed of nergens een lasso onder een hoopje bladeren ligt, waardoor ze als een varkentje omhoog zou worden getrokken. En of ze nergens langs een touw loopt waardoor er een bijl uit de bomen komt zwiepen.

Krak – zegt een tak, en Lotte wacht angstig af of er iets gebeurt. Boem boem...

Ze is zo bezig om nergens tegenaan te lopen, dat ze ineens, te laat, pas merkt... dat de anderen nergens meer zijn. Het is doodstil in het dichtbegroeide bos. Waar is iedereen?

In de verte schreeuwt een kraai. Een blad valt van de boom; het ritselt een beetje, maar voor Lotte is ieder geluid te veel.  Boem boem...

Staat hij achter haar? Met een wurg- touw? Of een hakbijl? Welke boom heeft hij gekozen om zich te verstoppen?

Afschuwelijk langzaam kijkt ze om zich heen. Bomen, takken, bladeren... Ze móét wel een stap zetten, ze kan hier zo niet blijven staan. Haar hart klopt zo hard in haar keel, dat ze geen normale geluiden meer kan horen.

Achter haar heeft Camil een bijl hoog boven haar hoofd getild. Een houthakkersbijl. Lotte zet één klein stapje en – krak – hij laat de bijl omlaag suizen, recht op haar hoofd af. Het botte ding beukt haar schedel door- midden en–

'Aaargh!'

Luna grijpt haar bij de arm. 'Sta je weer te dromen, eierkopje?' Ze wijst de andere kant op: 'Schiet op, straks raak je ons nog kwijt.'

Hijgend van angst stapt Lotte achter haar grote zus aan. Ze was weer eens aan het dagdromen. Nergens goed voor, ook al zeggen papa en mama dat het fijn is om veel fantasie te hebben.

'Voorzichtig,' fluistert ze, maar Luna stapt stevig door de bladeren van het bos.

Daar staan de anderen. Ze houden alle vijf een vinger tegen hun lippen: ssst. Luna loopt door naar voren, waar Adem ook al staat. Maar Lotte blijft bij de slangenmeisjes staan. Zo stappen ze – zachtjes, schuifelend – steeds een stukje verder. Tot Adem zijn hand op Luna's schouder legt. (Luna is te gespannen om ervan te blozen.)

Dan staan ze stil.

Daar staat hij. Camil. Hun extremist. En wat hij doet, is… *ongelooflijk.*

11 Betrapt (2)

Bij een open ruimte staat hij. Nog steeds
in die afgezakte jurk, maar de hoofddoek
heeft hij niet meer om. Hij houdt zijn handen
voor zijn gezicht. Zijn schouders schokken.

Hij *huilt*.

En dan legt hij zijn hand op een... paard.

Lottes mond valt open van verbazing. Een wit paard is
het, een prachtige schimmel.

Het beest snuift door zijn enorme neusgaten, en
Camil legt zijn hoofd jammerend tegen de hals. Op de
grond staat een emmer met afval uit het restaurant –
dezelfde drab die ze gisteren bij de waterbak vonden.

'Wat moet ik nou doen?' Hij leunt met al zijn gewicht
tegen het witte dier, en begint alweer te huilen: 'Hu-
huhu.'

Luna fluistert: 'Het is een paard.' (Alsof Lotte dat nog
niet had gezien.)

Adem knikt. 'Het is de ober.'

De sterke man zegt: 'Het is Camil.'

En de slangenmeisjes beginnen te giechelen: 'Het is
dat stuk van het paardennummer, hihi!'

Verbaasd kijken Luna en Lotte om. Hoe weet de sterke
man zijn naam? Waar hebben de slangenmeisjes het
over?

Maar dan draait Camil zich om. Zodra hij hen ziet,
slaakt hij een kreet: 'Aaargh!' Het is dat zijn paard achter
hem staat, anders was hij zeker met z'n billen in de

emmer gevallen. 'Niks zeggen, niks zeggen!' roept hij onnodig hard.

Even denkt Lotte dat hij moet uitkijken dat hij niet *zelf* tegen een booby trap stoot, maar dan realiseert ze zich dat die er waarschijnlijk niet is. Ze hebben zich weer eens in iemand vergist...

De sterke man werpt zijn gespierde armen in de lucht en doet een stap naar voren. 'Camil!' roept hij blij.

Hij neemt de jongen in zijn armen. Nu Camil half stikt in zo'n stevige omhelzing, ziet hij er totaal niet meer gevaarlijk uit. Ineens zien de meiden wat papa al die tijd in hem moet hebben gezien: een ietwat verloren jongen die wel wat hulp kan gebruiken.

Luna denkt: Maar hoe kán dit?!

'Hoi Camil,' zegt één van de slangenmeisjes en de anderen beginnen hard te giechelen. 'Waar was je nou?'

Camil zucht. 'Sorry jongens, maar ik–' Hij zakt door zijn knieën en ploft op de grond. 'Ik zag het niet meer goedkomen.' Alweer springen de tranen in zijn ogen. (Dit moet zo'n beetje zijn hoe papa hem aantrof in de berm, die dag.) 'En ik kan mijn lieve Charity niet missen.'

De sterke man loopt op hem af en trekt hem met één arm omhoog tot hij op beide voeten staat. 'We doen allemaal ons best, joh, meer kunnen we niet doen,' zegt hij.

Camil zucht.

In de stilte die valt, begint Luna te

kuchen. 'Hoe euh... hoe zit het nou precies?' wil ze weten.

Het lijkt of Camil haar nu pas opmerkt. In zijn ogen komt alweer die brutale sprankeling. Hij geeft haar een glimlach en zegt: 'Jij bent niet een *beetje* nieuwsgierig, hè?'

Luna haalt haar schouders op.

Tegen de artiesten zegt Camil: 'Die meid, oei, die wil álles weten. En als je niet alles vertelt, dan verzint ze het wel zelf.'

Lotte kan niet helpen dat ze moet lachen. 'Dat is wel zo Luun, haha!'

'Nee, jij dan, kruidkoek,' zegt Luna. 'Jij dacht dat hij een terrorist was.'

'En jij noemde hem een extremist.'

'Echt niet, ik zei alleen wat de goede naam was voor iemand die doet wat jij dacht dat hij allemaal deed!'

Zo, dat ging wel héél snel, wat zei Luna nou precies? Maar Lotte laat zich natuurlijk niet kennen, en zegt meteen wat terug: 'Jij zei dat hij booby traps in het bos maakte!'

'O!' Luna kijkt geschrokken naar Camil en dan weer pissig naar Lotte. 'En jij bent een slappe vlaai!'

'En jij–'

Maar gelukkig onderbreekt Camil hen. 'Dachten jullie dat ik booby traps maakte? Je bedoelt: valkuilen en zo?'

Lotte haalt haar schouders op. 'Omdat je zo geheimzinnig deed en steeds in het bos liep.'

Voor het eerst horen ze Camil hardop lachen. Een klinkende lach is het. Ha, ha! Een volle lach, je gaat er vanzelf van méélachen. 'Dit is wat ik deed,' zegt hij – en dan gaat het snel.

Hij neemt een aanloop en maakt een radslag, die hij direct laat volgen door een salto en – hopla – hij *staat* op de rug van zijn paard.

Zijn armen spreidt hij wijd, en als vanzelf geven de anderen hem een klein applaus. Dan springt hij – hop – van zijn voeten op zijn armen, en staat hij ondersteboven op het prachtige paard. Dat lijkt daar trouwens niet van te schrikken; het snuffelt in de emmer met eten.

Camil spreidt zijn benen en zegt: 'Hopla!' Opnieuw krijgt hij applaus.

'Snappen jullie het eindelijk?' roept hij nog altijd op z'n kop. 'Ik hoor bij het circus! Daarom wilde ik per se niet dat ze kwamen. Ik wilde niet dat ze mij hier zouden vinden!'

Hij sluit zijn benen en springt met een salto van het paard. Hij klopt zijn broek af.

'Ik was bang dat ze Charity zouden willen verkopen. En ik was ook bang dat jullie vader me zou ontslaan.'

'Ontslaan?'

'Ik ben natuurlijk geen goede ober, dat hadden jullie wel begrepen.' Pesterig voegt hij eraan toe: 'Dat dan weer wél.'

De zussen gaan er maar niet op in...

Camil kijkt naar de sterke man en de slangenmeisjes. Hij haalt een envelop uit zijn zak en zegt: 'Ik heb wat geld verdiend. Hier, neem het. Gebruik het voor het circus.'

Luna zegt verbaasd: 'Snap je dan niet dat het voor onze vader juist een extra reden is om je te *houden*?!'

Lotte knikt. 'Hij is dol op artiesten en op verrassingen!'

'Enneuh... mijn paard?'

Lotte lacht. 'Moet je eens opletten wat er gebeurt als wij zeggen dat we haar lief vinden!'

Luna knikt. Ja, papa wil zijn dochters altijd graag geven wat ze leuk vinden.

Camil tilt Luna en Lotte op zijn paard, en Adem mag de teugel vasthouden.

'Laten we het dan maar gaan vertellen,' zegt hij.

12 Plaza Piste!

Het is een mooi gezicht als je uit het raam van het restaurant kijkt. Niks geen Bosbeest; het lijkt wel een sprookje!

Uit het bos komen eerst drie slanke lacherige slangenmeisjes – ze lijken wel elfjes. Ze worden gevolgd door een brede, bijna vierkante man – hij lijkt wel hun bewaker. Daarna Adem met het touw in zijn hand (hij lijkt wel een staljongen) en dan het prachtige witte paard. Hoog is het, en statig.

Op haar rug zitten de twee meisjes als kleine prinses-

jes, en achter hen een ridder: Camil, die ervoor zorgt dat ze niet vallen.

De directeur is de eerste die het ziet. Langzaam staat hij op. Hij wijst naar het raam, en zijn mond gaat wel open, maar het lukt hem niet om een klank uit te brengen.

'Wat is er?' vraagt de trapezewerker.

Ook de leeuwentemmer komt kijken bij het raam.

Daarna wordt het al gauw lastig om iets te zien; de artiesten verdrukken elkaar zowat.

'Is het echt...?' zegt de een.

'Het lijkt wel...' zegt een ander.

'Camil!' schreeuwt iemand, en meteen daarna klinkt een oorverdovend gejuich in Plaza Patatta. 'Camil, het is Camil!'

Iedereen stormt naar buiten (en omdat ze tegelijk door de grote staldeuren willen, raakt de groep nog even bekneld).

Mama Marianne en papa Hans blijven verbaasd achter in het restaurant, voor het raam. 'Wie is die jongen?' vraagt mama.

'Onze ober,' zegt papa.

'Hij zit op een paard.'

'Ik zie het.'

Mama glimlacht. 'Hij lijkt wel een circusjongen.'

Papa geeft haar een kusje op haar neus. 'Dat zou fantastisch zijn.'

Zo, kijkend door het raam, met een arm om elkaar heen, wachten papa Hans en mama Marianne tot iedereen terug naar binnen komt.

Camil wordt door de mannen op hun schouders gedragen en het paard mag voor één keer door de staldeuren naar binnen, om in de garderobe te wachten. Iedereen juicht, maar Camil slaat zijn ogen neer. Hij zegt: 'Het spijt me dat ik het niet had verteld.'

Maar papa legt vriendelijk een hand op zijn schouder. 'Je hoeft niet altijd alles te vertellen.'

'Ik wilde niet dat het circus kwam omdat ik bang was dat u me niet meer als ober zou willen.'

'Maar als ik jóú mag helpen, mag ik toch ook de ándere artiesten helpen?'

Camil knikt beschaamd.

'Als je dat goed onthoudt, mag je blijven,' vindt papa. 'Tenzij je liever teruggaat naar het circus. Denk daar maar over na. Tot die tijd mag je onze logeerkamer gebruiken.'

Lotte lacht. 'Zie je wel? Dat zeiden we toch! Maar als je nog een poosje blijft, moet je wel aardig tegen ons doen, hoor.'

Luna knikt. 'Ja.' Even lijkt ze te twijfelen, maar dan flapt ze er toch uit: 'Appelflap.'

Eerst kijkt Camil verbaasd, maar dan begint hij te lachen. 'Hahaha, appelflap!' Hij houdt zijn gespierde buik erbij vast. 'Ik dacht dat ik de enige pestkop was van ons drieën, haha!'

'Er staat je nog heel wat te wachten als je hier blijft, paardenworst- o nee, dat kan ik natuurlijk niet zeggen.'

Nu zegt Adem: 'Als je hier blijft, kan je net zo goed morgen mee optreden.'

'O ja, gráág!'

En mama Marianne zegt: 'Zal ik dan tijdens jouw optreden de aria zingen van het Dravende Paard uit de Operette van Kokette?'

'Ja, mama, ja!' juichen Luna en Lotte.

'En weet je wat,' zegt Adem ineens met een stiekem lachje. 'Dan zou het leuk zijn als Luna en Lotte hun paardendansje erbij doen.'

Geschrokken gillen de meiden: 'O!'

'Want daar hebben ze zóóó goed op geoefend!' Lacherig rent Adem weg.

Camil kijkt hem na en knikt: 'Heel goed, vriend, heel goed.'

En de meiden beseffen dat het leven nooit meer hetzelfde zal zijn nu Camil bij hen komt wonen, haha, arme zij...

Welkom in het

kinderkookcafé ▶ ▶ ▶ ▶ ▶ ▶

•

Zelf koken!

RECEPTEN

BANANEN-MILKSHAKE VAN FATIMA

1 eetlepel roomijs/1 eetlepel honing/1 banaan/
half kopje melk/2 eetlepels yoghurt/mixer

- Pel de banaan en snijd hem in stukjes.
- Doe de banaan, het ijs, de honing, melk en de yog-
  hurt in een beker.
- Mix alles een minuut in de mixer, de milkshake moet
  mooi romig zijn.
- Giet het in een glas en… smakelijk drinken!

RECEPTEN

TIRAMISU DI GIULIA

*1 pak lange vingers/2 dl sterke koffie (espresso)/
5 eetlepels Tia Maria/bakje Mascarpone/250 ml vanillevla/
1 zakje slagroomversteviger/cacao*

- Leg de lange vingers plat neer, bijvoorbeeld in een cakevorm.
- Meng de koffie met de Tia Maria en giet dat over de lange vingers.
- Meng de mascarpone met de vanillevla en het zakje slagroomversteviger.
- Doe een laagje mascarponemengsel over de lange vingers. Leg daar weer een laagje lange vingers over. Herhaal dat tot er drie laagjes zijn gestapeld, en eindig met de mascarpone.
- Bestrooi het rijkelijk met cacao.
- Laat het 1 dag in de koelkast staan.
- Serveer het dan in plakjes – mmm!

MICHELLE'S PITTIGE TENTHARINGEN

Kleine soepstengeltjes/een potje gedroogde bruchetta/
warm water/olijfolie

- Doe drie eetlepels bruchetta in een kommetje.
- Doe daar drie eetlepels warm water bij.
- Laat het drie minuten wellen.
- Roer er dan drie eetlepels olijfolie door en…

Lekker dippen met de soepstengels!

OPROEP

Ik ben ontzettend trots dat dit alweer het zevende(!) Plaza Patatta-boek is. Graag wil ik Fatima-zonder-achternaam uit Tilburg, Julia Spooner uit Huijbergen en Michelle Schouten uit Apeldoorn hartelijk bedanken voor hun heerlijke recepten!
Kan jij ook iets lekkers maken, en wil je dat opsturen? Mail dan jouw recept naar iklees@nandaroep.net, en zet het in het gastenboek van www.plazapatatta.nl!

Wil jij de schrijfster van de PP-boeken, Nanda Roep, ontmoeten? Doe dan mee met de Plaza Patatta-Wedstrijd, die je kunt vinden op www.plazapatatta.nl.

Ik SMUL van Plaza Patatta!

Lees ook

van

Plaza Patatta: